D1089740

Tullio Pericoli, pittore e disegnatore, è nato a Colli del Tronto e vive a Milano. Ha tenuto numerose mostre in Italia e all'estero e ha disegnato scene e costumi di *L'elisir d'amore* di Donizetti (per l'Opernhaus di Zurigo, 1995 e per il Teatro alla Scala di Milano, 1998) e *Il Turco in Italia* di Rossini (ancora per l'Opernhaus di Zurigo, 2002). Tra i suoi libri: *Woody, Freud und andere* (1988), *Ritratti arbitrari* (1990), *Attraverso il disegno* (1991), *Die Tafel des Königs* (1993), *Colti nel segno* (1995), *Terre* (2000), *I ritratti* (2002), *Otto scrittori* (2003), *La casa ideale di Robert Louis Stevenson* (2004), *L'anima del volto* (2005), *Robinson Crusoe di Daniel Defoe* (2007), *I paesaggi* (2013), *Pensieri della mano* (2014) e *Piccolo teatro* (2016).

Tullio Pericoli

Attraverso l'albero

una piccola storia dell'arte

ADELPHI EDIZIONI

In copertina: disegno di Tullio Pericoli.

© 2012 ADELPHI EDIZIONI S.P.A. MILANO
WWW.ADELPHI.IT

ISBN 978-88-459-2737-9

Anno									Edizione	
2019	2018	2017	2016		5	6	7	8	9	10	11

INDICE

All'inizio fu Giono   9

ATTRAVERSO L'ALBERO
una piccola storia dell'arte   13

ALL'INIZIO FU GIONO

Tanti anni fa, nel 1998, lo scrittore Michael Krüger, a capo della casa editrice Hanser di Monaco, mi chiese di illustrare il racconto di Jean Giono *L'uomo che piantava gli alberi*. Era un testo che per la verità non conoscevo, anche se ormai tutti lo consideravano un classico. Lo lessi e me ne innamorai. In quegli anni il mio percorso per così dire professionale stava cambiando profondamente per via dell'interesse sempre maggiore per il paesaggio, il suo studio e la sua rappresentazione. Era il libro per me, mi aveva detto Krüger. Ed era vero.

Ma c'era qualcosa nella sua domanda che non mi andava: non mi piaceva – in realtà, ci tengo a dirlo finalmente, non mi è mai piaciuta – la parola *illustrare*. Il racconto di Giono non aveva proprio bisogno di illustrazioni, era così limpido, compiuto, conteneva in sé già tutto. Immagini comprese. Non aveva bisogno di essere «tradotto» in figure, o «spiegato» con figure. Era invece un grande testo ispiratore, un vero generatore di immagini che avrebbero sì potuto nascere da quelle parole, ma poi andare con le loro gambe per strade diverse, strade proprie. Subito una quantità di idee mi si affollarono in testa, e mi misi al lavoro.

Mentre continuavo a leggere quelle righe, e a ripetermi quelle parole, feci disegni su disegni, riempii i margini del testo di Giono di appunti e schizzi, disegnai tutto quello che mi passava per la testa. Ne venne fuori un libro forse più ricco di quanto l'editore si aspettava, quasi due libri in uno.

In ultimo mi venne in mente una grande tavola, una sorta di catalogo in doppia pagina da sistemare al centro del volume. In realtà non c'entrava proprio niente con il racconto, ma mi piaceva molto l'idea: disegnare i cambiamenti della forma dell'albero nella storia della pittura, dal Rinascimento a oggi. La retrodatai un po', e cominciai da Giotto.

Da quella doppia pagina è nato questo volumetto che, albero dopo albero, ripercorre sinteticamente un tratto della nostra storia dell'arte, analizzando le forme che la pittura ha inventato per rappresentare l'albero e osservando come l'albero è servito alla pittura. Da Giotto alla fine del Novecento. Ma con chi concludere? Pensai subito a Steinberg, un artista da me tanto amato, tanto ammirato, al quale non ho rubato materialmente molto, come ho fatto con altri, ma la cui genialità mi ha sempre enormemente arricchito.

Ricevute le prime bozze dall'editore, presi uno stampone della doppia pagina con la storia dell'albero e lo mandai a Steinberg – pur sapendo, dai racconti che mi faceva il suo amico Aldo Buzzi, che in quei mesi attraversava un periodo molto difficile, per ragioni di salute e altro. Steinberg mi mandò una laconica cartolina, con la scrittura più tremolante del solito. La conservo molto affettuosamente.

ATTRAVERSO L'ALBERO
UNA PICCOLA STORIA DELL'ARTE

per Alessandra

Giotto

1267 ca - 1337

Paolo Uccello
1397 - 1475

17

Andrea Mantegna
1431 - 1506

19

Giovanni Bellini
1430 ca. - 1516

Sandro Filipepi
detto Botticelli
1445 - 1510

Hieronymus Bosch
1450 ca- 1516

Leonardo da Vinci
1452 - 1519

Piero di Lorenzo
di Chimenti
detto Piero di Cosimo
1462 - 1521

Lucas Cranach
il Vecchio
1472 - 1553

Albrecht Altdorfer
1480ca - 1538

Pieter Bruegel
il Vecchio
1526/37-1569

Nicolas Poussin
1594 - 1665

Katsughika Hokusai
1760 - 1849

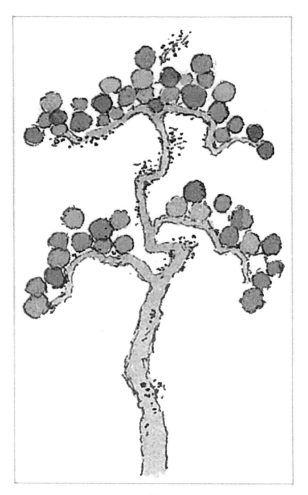

Caspar David Friedrich
1774 - 1840

41

Joseph Mallord
William Turner
1775 - 1851

Paul Cézanne
1839 - 1906

Henri Rousseau
1844-1970

Paul Gauguin
1848-1903

Vincent van Gogh
1853 - 1890

Georges Seurat

1859 - 1891

Gustav Klimt
1862-1918

Henri Matisse
1869 - 1954

Piet Mondrian
1872 - 1944

Paul Klee
1879- 1940

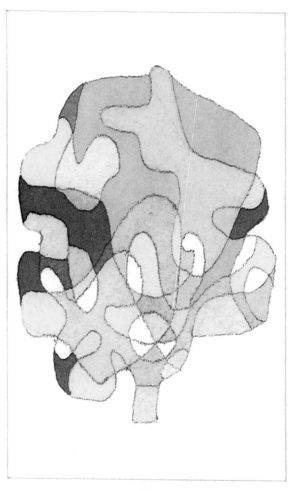

Fernand Léger
1881 - 1955

Pablo Picasso
1881-1973

Giorgio de Chirico
1888 - 1978

René Magritte
1898-1967

Saul Steinberg
1914 - 1999

Stampato dal Consorzio Artigiano « L.V.G. » - Azzate

Biblioteca minima

ULTIMI VOLUMI PUBBLICATI:

30. H.G. Wells, *Nel Paese dei Ciechi*

31. John Maynard Keynes, *Possibilità economiche per i nostri nipoti* · Guido Rossi, *Possibilità economiche per i nostri nipoti?*

32. Fleur Jaeggy, *Vite congetturali*

33. Alan Bennett, *L'imbarazzo della scelta*

34. Salvatore Niffoi, *Paraìnas*

35. Curzio Malaparte, *Coppi e Bartali*

36. Andrew Sean Greer, *La ballata di Pearlie Cook*

37. Félix Fénéon, *Romanzi in tre righe*

38. Ettore Sottsass, *Foto dal finestrino*

39. J. Rodolfo Wilcock, *Il reato di scrivere*

40. F.S. Fitzgerald, *Il crollo*

41. Vasilij Grossman, *L'inferno di Treblinka*

42. Robert Graves, *L'urlo*

43. J. Cowper Powys, *La religione di uno scettico*

44. M. Richler, N. Richler, M. Codignola, *Mordecai*

45. E.M. Cioran, *Taccuino di Talamanca*

46. W.G. Sebald, *Le Alpi nel mare*

47. William Langewiesche, *Esecuzioni a distanza*

48. Massimo Cacciari, *Doppio ritratto*

49. Carl Schmitt, *Dialogo sul potere*

50. Anton Čechov, *La lettura* · *Kaštanka*

51. Andrea Moro, *Parlo dunque sono*

52. Boris Biancheri, *La traversata*

53. Tullio Pericoli, *Attraverso l'albero*

54. H.G. Wells, *La valle dei ragni* · *L'impero delle formiche*

55. Simone Weil, *La persona e il sacro*

56. W.G. Sebald, *Moments musicaux*

57. Vasilij Grossman, *La cagnetta*

58. Giovanni Pozzi, *Tacet*

59. Goffredo Parise, *Dobbiamo disobbedire*

60. Stefan Zweig, *Gli occhi dell'eterno fratello*

61. Guido Ceronetti, *L'occhio del barbagianni*

62. Julian Jaynes, *La natura diacronica della coscienza*

63. Joseph Mitchell, *Una vita per strada*

64. Katherine Mansfield, *Viaggio in Urewera*

65. Isaiah Berlin, *Un messaggio al Ventunesimo secolo*

66. Friedrich Nietzsche, *Su verità e menzogna
in senso extramorale*

67. Tullio Pericoli, *Piccolo teatro*

68. Emmanuel Carrère, *A Calais*